A